Les multiples vies de
JACK L'ORPHELIN

Dépôt légal - Bibliothèque et Archives nationales du Québec, 2015
Bibliothèque et Archives Canada, 2015

Les multiples vies de Jack l'orphelin
ISBN 978-2-89579-620-6

Titre original : *The Several Lives of Orphan Jack* de Sarah Ellis
(ISBN 978-0-88899-618-3). © Groundwood Books Ltd. 2003,
110 Spadina Avenue, Suite 801, Toronto, ON M5V 2K4

Texte : © 2003 Sarah Ellis
Illustrations : © 2003 Bruno St-Aubin
Direction éditoriale : Nicholas Aumais, Gilda Routy
Traduction : Christine Asselin
Révision : Pierre Guénette
Mise en pages : Danielle Dugal

© Bayard Canada Livres inc. 2015

Nous reconnaissons l'aide financière du gouvernement du Canada par
l'entremise du Programme national de traduction pour l'édition du livre,
une initiative de *la Feuille de route pour les langues officielles du
Canada 2013-2018 : éducation, immigration, communautés,*
pour nos activités de traduction.

Financé par le gouvernement du Canada | Canadä
Funded by the Government of Canada

Nous reconnaissons l'aide financière du gouvernement du Canada
par l'entremise du Fonds du livre du Canada (FLC) pour des activités
de développement de notre entreprise.

Conseil des arts   Canada Council
du Canada   for the Arts

Nous remercions le Conseil des arts du Canada de l'aide accordée
à notre programme de publication.

Cet ouvrage a été publié avec le soutien de la SODEC. Gouvernement
du Québec - Programme de crédit d'impôt pour l'édition de livres -
Gestion SODEC.

Bayard Canada Livres
4475, rue Frontenac, Montréal (Québec) Canada H2H 2S2
Téléphone : 514 844-2111 ou 1 866 844-2111
edition@bayardcanada.com
bayardlivres.ca

Imprimé au Canada

Les multiples vies de
JACK L'ORPHELIN

Sarah Ellis

ILLUSTRATIONS DE Bruno St-Aubin
TRADUCTION DE Christine Asselin

Bayard
CANADA

Bon vent!
(Russel Hoban, *Souris père et fils*)

À Mike et Chris

Chapitre 1

— Messieurs !

Monsieur Teigne, le maître d'école, frappa son bureau de sa baguette et aboya :

— La neige ! À quoi ça sert ?

La question flotta un moment dans un silence de mort et sur les têtes courbées des garçons, puis, abandonnant tout espoir, elle sombra peu à peu.

— Antoine !

Antoine s'extirpa de son pupitre et se mit debout dans l'allée. Une réponse se forma dans sa tête et il l'exprima en même temps qu'un fort sentiment de défaite. Antoine avait des réponses, mais ce n'était jamais les bonnes.

— À faire des balles de neige, m'sieur ?

Paf ! Un autre coup de baguette sur le bureau.

— Non, grand niais, bon à rien. Assis ! Hugo !

Une craie-projectile siffla dans l'allée et rencontra l'oreille endormie de Hugo.

— Ayoye ! Zanzibar, m'sieur ?

Une fois, c'était il y a longtemps, Hugo avait visé juste en répondant *Zanzibar*, et depuis, il vivait avec l'espoir de répéter son exploit.

— Non, espèce de nono pas de cervelle. Autrejack !

Autrejack se leva. Devant lui s'ouvrait deux voies. Et les deux menaient à des ennuis. Une mauvaise réponse, et il risquait de venir à bout de la patience de monsieur Teigne, qui pourrait bien sortir le fouet. La patience de monsieur Teigne était terriblement limitée. Une bonne réponse, par contre, et il mangerait une volée dans un coin noir par Antoine, la terreur.

«Bon ! Eh bien, se dit Autrejack, mieux vaut des ennuis qui vous attendent au tournant que des ennuis qui vous sautent au visage. »

— La neige, ça sert à tenir les plantes au chaud en hiver, pis à mettre d'la joie dans nos veillées plates, m'sieur.

— Correct.

Monsieur Teigne avait l'air déçu. Il plongea ses yeux bleu pâle dans le livre qu'il tenait : *Petites vérités destinées à l'instruction des garçons*.

— À quoi sert…

On frappa timidement à la porte. Fiou ! Les garçons purent échapper momentanément à d'autres petites vérités.

— Entrez !

Le visage couvert de verrues d'un petit garçon apparut dans l'entrebâillement.

— Monsieur Pointu veut voir Autrejack, m'sieur.

Toute la classe retint sa respiration. Être convoqué chez le directeur, ça pouvait vous faire tanguer un estomac.

Félix, le copain d'Autrejack, qui se trouvait assis tout juste derrière lui, donna un coup de poing amical dans le dos de son camarade. Antoine, pour sa part, renonça à son plan de lui administrer une volée. Autrejack se leva, l'air aussi calme qu'un pouding.

Il était passé maître dans l'art d'éviter les ennuis. Au cours de ses douze années d'existence, de ces douze années passées à l'École de la fortune pour orphelins et enfants abandonnés, il avait toujours évité les coups. Il avait enjambé les ennuis, contourné les ennuis, survolé les ennuis, fui les ennuis, négocié les ennuis et s'était faufilé entre deux ennuis très serrés, comme un chat glissant entre les lattes d'une clôture.

Hors de question pour lui de ne pas poursuivre sur sa bonne lancée.

Autrejack traversa le corridor vers le bureau du directeur, glissant un doigt le long du mur jaune moutarde et respirant profondément pour garder son estomac en place. Des odeurs de repas de navet bouilli – des années de navet bouilli – l'accompagnèrent durant son trajet.

Il passa sa liste de mots utiles en revue. *Inquiétude*, c'était bien ça. Comme *peur*, mais en moins intense. Il arriva devant la porte du bureau du directeur, elle était si lisse et si lustrée et d'un brun tellement chocolat qu'il aurait voulu la lécher.

Il frappa.

«Des navets, des ennuis et de l'inquiétude, se dit-il. C'est ça, la vie d'un garçon de Fortune.»

Chapitre 2

— Entrez !

Autrejack tourna la poignée de verre et poussa la lourde porte.

On se sentait, chez monsieur Pointu, comme dans une église. Le directeur se tenait légèrement incliné sur son grand bureau, ses longs doigts pâles formant une tente devant son menton. Autrejack observa les ongles de monsieur Pointu et pensa à bébé Marie, le dernier enfant trouvé sur les marches de l'école. Il n'y avait que les bébés et monsieur Pointu pour avoir des ongles aussi nets.

— Bien, mon garçon, voilà une occasion en or qui s'offre à toi.

Autrejack sentit son cœur bondir. Il se refusait à espérer quoi que ce soit. L'*occasion*, pour un élève de l'École de la fortune pour orphelins et enfants abandonnés, ça voulait dire qu'à l'âge de douze ans, on vous envoyait apprendre un métier. À douze ans, Autrejack pouvait quitter messieurs Teigne, Achalé et Verdubois. À douze ans, il pouvait délaisser la grammaire et la bonne tenue, et l'utilité de la neige.

À douze ans, il pouvait parcourir le monde vêtu de neuf de la tête aux pieds et être Quelqu'un.

— Nous t'avons trouvé un apprentissage dans un cabinet de tenue de livres. Tu es vraiment un petit gars chanceux.

Tenue de livres! Autrejack ressentit une bouffée d'excitation l'envahir peu à peu. Les teneurs de livres, ça devait être les gens qui veillent sur la sécurité des livres.

Il leva les yeux au-dessus de monsieur Pointu pour observer la bibliothèque vitrée qui se trouvait derrière le directeur et dans laquelle on apercevait de larges dos de cuir – brun, rouge et vert.

La voix du directeur vogua vers le lointain et Autrejack laissa libre cours à son imagination. Une pièce remplie de livres, du sol au plafond. Des couleurs chatoyantes. Des mots dorés invitants. Et le gardien, assis à la porte dans son uniforme impeccable, veillant à garder les livres en sécurité, bien au chaud et au sec.

Et de la lecture! Bien sûr, il y aurait de la lecture. Toutes ces idées posées en travers sur les étagères n'attendant que lui. Des histoires et des aventures et des livres avec des images d'éléphants, et Zanzibar et toutes les merveilles du monde et un dictionnaire complet, et…

La voix de monsieur Pointu le sortit de sa rêverie.

— … quelque peu enclin à la distraction, mais doué pour les chiffres. Et nous espérons, bien sûr, que tu te soucieras toujours de faire honneur à l'École de la fortune pour orphelins et enfants abandonnés. Des questions?

Des questions. Autrejack n'avait rien d'autre que des questions : Les savants venaient-ils consulter des livres ? Est-ce que les teneurs de livres leur donnaient alors un coup de main dans leurs recherches ? Si un ouvrage était abîmé, le teneur de livres devait-il le remettre en état ? Qu'arrivait-il si un bandit essayait de voler des livres ?

Mais Autrejack savait, depuis toutes ces années où il avait appris à éviter les ennuis, que si monsieur Pointu demandait :

— Des questions ?

Il ne pouvait y avoir qu'une bonne réponse :

— Non, m'sieur.

— Bien. Tu commenceras donc ton apprentissage demain. Petit Tom reprendra tes tâches dans l'arrière-cuisine. Madame Bonarien, du comité de bienfaisance, viendra te voir à ton dortoir après le dîner.

Autrejack aurait eu envie de faire quelques culbutes, ici même, dans le bureau du directeur. Quel était le mot déjà ?

Euphorie. Comme *joie*, mais en plus intense.

La tenue de livres ! Tenir des livres, ce serait comme partir pour la gloire ! Autrejack se voyait déjà descendre la rue, sifflet à la bouche, pour se lancer à la poursuite d'un vilain voleur de livres.

« Des savants et des bandits. Des volumes et des voleurs. Ce sera ça, ma vie, se dit Autrejack. Ce sera ça, la vie d'un apprenti teneur de livres. »

Chapitre 3

Madame Bonarien posa ses maigres doigts bagués sur sa généreuse poitrine et observa Autrejack.

— Je me rappelle bien le jour où tu es arrivé, un pauvre petit orphelin. Tu ne portais rien d'autre que ton prénom. N'avions-nous pas déjà un pauvre petit orphelin prénommé Jack dans les rangs de l'école ? Alors, on t'a appelé Autrejack. Monsieur Pointu est vraiment un homme astucieux.

Madame Bonarien rit joyeusement.

— Et te voilà sur le point d'être placé comme apprenti. Un jeune homme vraiment chanceux. Je suis certaine que tu réalises à quel point tu es chanceux. N'est-ce pas ?

Autrejack fit oui de la tête.

— Bien sûr ! Être apprenti chez Rhejistre et Rhejistre. Un cabinet de renom bien établi. Tout ça, grâce à monsieur Pointu et à ses relations. Je suis certaine que tu éprouves une reconnaissance infinie. N'est-ce pas que tu éprouves une reconnaissance infinie ?

Autrejack fit oui de la tête.

— Bien sûr ! Mon cher père, de douce mémoire, qui nous a quittés depuis longtemps, entretenait des liens d'affaires avec Rhejistre et Rhejistre.

Tout en parlant, madame Bonarien prenait des vêtements dans une boîte et les plaçait contre Autrejack.

— Essaie donc ce manteau.

Autrejack enfila une veste brune poilue qui semblait fabriquée de la même matière dont on se sert pour récurer les casseroles. Les poignets du garçon dépassaient des manches comme des pièces détachées.

Madame Bonarien tira fermement sur les manches.

— Ça fera très bien l'affaire. Cette veste est encore tout à fait présentable. Il ne faudrait tout de même pas que tu nous fasses honte chez Rhejistre et Rhejistre, n'est-ce pas ? Bien, et si on regardait pour un pantalon ?

Elle s'agenouilla pour mesurer un pantalon contre les jambes d'Autrejack.

Son premier pantalon long. Ah ! quelle journée formidable ! *Formidable !* Comme *très bien*, mais en beaucoup mieux.

Jack observa le chapeau de madame Bonarien. Il était décoré d'une plume de faisan. Toutes les dames du comité de bienfaisance de l'École de la fortune pour orphelins et enfants abandonnés étaient appelées bénévoles, et toutes portaient un chapeau. Quand Autrejack était petit garçon, il pensait que le mot *bénévole* avait quelque chose à voir avec les chapeaux. Mais il s'était rendu compte plus tard que cela voulait dire tricoter et recueillir tout ce qui est trop usé, endommagé, délabré ou taché pour des enfants normaux, mais qui fait encore l'affaire pour les orphelins et les enfants trouvés.

La plupart des garçons se moquaient des dames bénévoles. Un de leur jeu favori consistait à se fabriquer une poitrine en se fourrant un oreiller sous la chemise pour faire semblant d'être madame Bonarien, et émettre ensuite des bruits grossiers. Mais, pour sa part, Autrejack avait une bonne raison d'aimer les bénévoles.

À Noël, chaque élève de l'École de la fortune se voyait offrir une paire de chaussettes et un cadeau de la part des dames de bienfaisance. Et c'est à cette occasion qu'Autrejack, alors âgé de dix ans, avait reçu un dictionnaire. Et, bien que ce dictionnaire fût crasseux et qu'il y manquât la dernière partie, de *T* à *Z*, la partie comportant les mots en *A* jusqu'à *T* avait permis à Autrejack de vivre de grands moments de bonheur. Les mots étaient toujours là, fidèles au poste, prêts à être employés ou simplement examinés. Une aurore était encore plus belle lorsque l'on connaissait le mot *sublime*. Un dîner de gruau n'était plus triste lorsqu'on connaissait le mot *radin*. Se faire tabasser par Antoine n'était pas si terrible lorsque l'on pouvait secrètement le traiter de *barbare*.

Mieux encore, les autres garçons ne pouvaient ni voler ni gâcher les mots d'Autrejack. Ceux-ci constituaient son magot secret.

D'un coup sec, madame Bonarien fit claquer le pantalon en l'air, puis le plia d'une main experte.

— Bon, alors tu as bien ta casquette ?

Autrejack fit oui de la tête et sortit sa casquette rayée bleu et orange, aux couleurs de l'École de la fortune.

— Excellent. Je suis certaine que tu vas faire honneur à l'école. N'est-ce pas que tu es bien décidé à faire honneur à l'école?

Autrejack fit oui de la tête.

Madame Bonarien se plaça devant Autrejack et le prit par les épaules.

— Bien sûr! Rappelle-toi bien ceci. Avec du courage, de la détermination et la volonté de réussir, n'importe quel garçon de l'école peut s'élever au-dessus de sa condition, même après... heu... des débuts difficiles. Vas-tu relever ce défi?

Autrejack fit un effort pour se composer une physionomie exprimant à la fois la chance, la reconnaissance, l'honneur fait à l'école et les débuts difficiles de celui qui est sur le point de s'élever au-dessus de sa condition. Cette composition lui demanda énormément de travail et il ne sut trop comment disposer ses sourcils.

Il fit oui de la tête.

— Oui, m'dame. Merci, m'dame.

Madame Bonarien disparut dans un sillage de parfum de fleurs et de bienfaisance.

Autrejack étala les vêtements sur le lit.

« Des pantalons et des possibilités, se dit-il. C'est ça, la vie de *Quelqu'un*. »

Chapitre 4

Autrejack se tenait devant l'évier, les mains dans l'eau. Des îlots de graisse se formaient et se reformaient à la surface de l'eau de vaisselle froide. Une poêle à frire, noircie, recouverte de croûtes, pointait entre les bulles de savon restantes, comme un cargo échoué.

Autrejack n'avait pas la tête à la vaisselle. Tout comme Tom, le petit garçon constellé de taches de rousseur, debout à l'autre extrémité du modeste évier en pierre. Tom tenait un torchon de vaisselle sale et détrempé, et buvait religieusement toutes les paroles d'Autrejack.

— Voici ce que tu dois savoir en tant qu'aide-cuisinier, lui dit Autrejack. Quand le chef cuisinier a bu, il se fâche ou il devient triste.

Tom hocha la tête.

— Et quand il se fâche, il tape sur l'aide-cuisinier pas vrai, Autrejack ? C'est ce que j'ai entendu.

— C'est ça. Cuillère de bois, louche, poêle. Tout ce qui lui tombe sous la main est bon pour donner des coups.

Tom se couvrit la tête de son torchon.

— Pourquoi est-ce qu'on m'a choisi, moi, comme nouvel aide-cuisinier? J'aurais pu m'occuper d'entretenir les feux. J'aurais pu m'occuper des pots de chambre. N'importe quoi d'autre!

Autrejack retira le torchon de la tête de Tom.

— Te mets pas dans un état pareil. Ça va bien aller parce que je vais te dire un secret. Tu m'écoutes?

Tom hocha la tête en reniflant.

— Le secret, c'est de le rendre triste.

— Il fait quoi alors? demanda Tom.

— Il pleure à grosses larmes, et son nez se met à couler et à couler. Parfois, ça goutte dans la soupe. Ensuite, il s'assoit dans sa chaise et s'endort. Viens par ici. Tu peux l'entendre ronfler.

Les garçons s'approchèrent de la porte qui séparait l'arrière-cuisine de la cuisine et l'ouvrirent légèrement. Le grognement d'un ours suivi d'un sifflement de bouilloire leur parvint.

Autrejack ramena Tom vers l'évier.

— Donc, s'il pleure, il ne tape pas? demanda Tom.

— Pas de claque, pas de tape, pas de tarte, pas de baffe.

Tom poussa un profond soupir.

— Et alors, qu'est-ce qui rend le chef triste?

— Lui parler de la mer, répondit Autrejack. Le chef est né près de l'océan. Il en parle comme quelque chose de très beau. Il dit que l'eau n'est jamais deux fois de la même couleur. Il dit qu'après les tempêtes, on découvre des trésors. Il m'a dit avoir aperçu, un jour, une sirène. Parfois, il chante. Toujours la même chanson sur l'appel du large et sur son cœur qui s'ennuie de la mer.

— Comment tu fais pour le mettre en train?

Autrejack avait retiré la poêle à frire de l'eau et la tenait en l'air en la laissant s'égoutter.

— Tu n'as qu'à lui poser une question. Tu peux dire : « Chef, avez-vous déjà été pris dans une terrible tempête? » ou « Comment est-ce qu'on répare un bateau qui prend l'eau? » ou « À propos, quelle est la plus grosse créature marine que vous avez jamais vue? »

— Tempête. Bateau. Créature, reprit Tom en fronçant les sourcils. J'pense que je vais m'en souvenir. Qui t'a dit ce secret, Autrejack?

— Personne. Ç'a été ma propre idée.

— Tu dois être futé, déclara Tom. Moi, j'suis pas futé. Tempête. Bateau. Créature. Ça fonctionne tout le temps?

Autrejack soupira et se replaça devant l'évier.

— Non. Rien ne fonctionne tout le temps. Parfois, ce n'est pas possible de détourner le chef de sa colère. Mais une baffe par semaine vaut mieux qu'une tape par jour. Il faut juste te rappeler : les claques et les coups, ça fait partie de la vie d'un aide-cuisinier, mais les histoires aussi.

Tom fit oui de la tête et agita son torchon dans les airs.

— Des claques, des coups et des histoires. J'vais m'en souvenir. Merci, Autrejack.

Chapitre 5

— Mains !

Monsieur Rhejistre, de chez Rhejistre et Rhejistre, pencha sa tête sur les mains ouvertes que lui tendait Autrejack.

« Un corbeau », pensa Autrejack, en observant la chevelure lisse, noire et brillante de monsieur Rhejistre. « Pas une plume de travers. »

— Honteux ! Va te laver, mon garçon ! Et ne lambine pas. Ici, chez Rhejistre et Rhejistre, le temps, c'est de l'argent, et on ne lambine pas !

Les mots de monsieur Rhejistre fusaient comme de petites explosions.

Autrejack se rendit à la salle de bains des messieurs, où il se lava les mains avec une énergie extraordinaire. L'eau devint toute grise, mais la teinte de ses mains demeura à peu près identique. Comment le temps peut-il être de l'argent ? L'argent est pesant et produit un cliquetis, et on le garde dans notre poche ou dans un coffre aux trésors. Le temps est léger et silencieux, et on ne peut pas le garder du tout.

— Mon garçon !

Monsieur Rhejistre conduisit Autrejack à un pupitre surélevé sur lequel se trouvaient un grand livre, une plume et une bouteille d'encre.

« Enfin, pensa Autrejack. C'est le temps de lire. » Toutefois le livre ne s'ouvrit pas du tout sur des mots, mais sur des chiffres.

Rhejistre fit courir ses doigts pâles et cireux de haut en bas.

— Colonnes, déclara-t-il.

Il promena son doigt de long en large.

— Rangées.

— Additionne ! ajouta-t-il.

Autrejack aimait les chiffres. Il aimait le huit parce qu'il ressemble à un bonhomme de neige. Il aimait le quatre parce qu'il ressemble à une petite peste aux nattes blondes et aux coudes pointus. Il aimait les jumeaux inversés, le six et le neuf. Et il avait assimilé l'arithmétique pour la même raison qu'il avait tout assimilé à l'École de la fortune : pour éviter les ennuis.

Mais, au moment où Autrejack commença à les additionner, les chiffres refusèrent d'entrer dans le rang. Les rangées et les colonnes n'aboutissaient tout simplement pas au même total. Et les résultats, même erronés, n'étaient jamais deux fois identiques.

Les minutes s'écoulaient, les heures passaient et l'encre grimpait dans les doigts d'Autrejack. La page bien ordonnée s'emplissait de ratures et encore de ratures. Chaque fois qu'il relevait la tête, il croisait le regard furieux de monsieur Rhejistre. On n'entendait que le grattement des plumes. Les chiffres s'empilaient dans la tête d'Autrejack comme des pelures de pommes de terre dans un seau. Les chiffres chassaient les mots. Ils chassaient les intentions et les idées. Ils chassaient toute capacité de réfléchir.

«Quatorze plus vingt-trois égale trente-sept, retiens trois». Autrejack retint le trois.

Joyeux trois était ravi d'enjamber une colonne. Les paupières d'Autrejack s'abaissaient comme des stores. Le bourdonnement d'une mouche contre la fenêtre ajouta au bruit du grattement des plumes.

Puis, il arriva que deux des comptables se rencontrèrent pour une pause, près du pupitre d'Autrejack.

Des mots! Il avait soif de mots. Il ne put s'empêcher de tendre l'oreille à la conversation.

— ... rectifie le compte du partenaire dans le cas de dissolution de partenariat... examine les comptes litigieux... rapport pour l'arbitre...

Arbitre. Autrejack fit tourner le mot dans sa bouche. «Que fait un arbitre? Si un buveur, ça boit, alors un arbitre, ça doit arbitrer.»

— Mon garçon!

La voix de monsieur Rhejistre se déversa tel un croassement à l'oreille d'Autrejack, qui sursauta et agrippa le livre posé devant lui. Le livre tomba à la renverse et fit culbuter l'encrier. Une rivière noire se déversa sur la feuille de chiffres, coulant jusqu'au bord de la page, coulant jusqu'au bord du pupitre, sous le regard d'Autrejack, pétrifié.

Monsieur Rhejistre fut d'abord très bruyant, puis très silencieux. En premier lieu, il fit savoir à Autrejack qu'il était le plus inutile, le plus stupide des imbéciles qu'il n'avait jamais eu le malheur d'employer comme

apprenti. Après quoi, il retrouva son calme. Il tira de sa poche un petit carnet de comptes noir et se livra à de rapides calculs.

— Onze semaines de salaire, annonça monsieur Rhejistre. C'est la somme que tu nous dois.

Et lorsqu'Autrejack, sa journée de travail terminée, s'en retournait péniblement à l'école, il se mit à pleuvoir légèrement. Il avait une crampe à la main, ses yeux brûlaient et son cerveau était engourdi. Il entendait encore la voix méprisante de monsieur Rhejistre. À chaque pas, il récitait les jours de la semaine, puis les mois de l'année et ensuite les années elles-mêmes. Encore des chiffres. Des combinaisons sans fin des mêmes dix trucs.

Ce n'était que ça? C'était donc ça, la *fortune*? Un cerveau bourré de calculs sans espace pour le moindre rêve?

«Des additions, de l'ennui et du mépris, se dit Autrejack. C'est ça, la vie d'un p'tit gars de livre de comptes.»

Chapitre 6

Étendu sur son lit étroit, Autrejack observait ses doigts tachés d'encre à la lumière de la lune. Dormir était une idée qui lui semblait aussi lointaine que Zanzibar. Il se mit alors à feuilleter son dictionnaire pour y trouver un réconfort familier. Puis il le referma bruyamment sur le lit.

À quoi bon un dictionnaire sans *T*? À quoi bon un dictionnaire qui ne peut même pas vous avertir de ce qu'est la tenue de livres?

Sept ans. La durée d'un apprentissage. Lorsqu'il quitterait Rhejistre et Rhejistre, il serait alors un vieillard de dix-neuf ans au cerveau farci d'additions, et à l'esprit de la taille d'un petit pois sec.

Il resta allongé, écoutant la respiration des garçons autour de lui dans le dortoir. Un air froid et vicié se déplaçait de lit en lit, de garçon en garçon. Le même air inspiré et expiré par Olivier, inspiré et expiré par Alexis, inspiré et expiré par Thomas, inspiré et expiré par Nathan.

«Ce pourrait être pire», se dit-il en pensant à Hubert. Hubert avait été placé comme apprenti auprès d'un chirurgien. Pour lui, la fortune se résumait à du sang et à des os; l'une de ses tâches consistait à ramasser des sangsues.

Ou ce pourrait être comme pour Arthur, qui faisait un apprentissage chez un forgeron. Arthur s'était un jour grièvement brûlé au bras, ce qui l'avait fait pleurer toute la nuit et lui avait laissé une horrible marque luisante et plissée.

Autrejack pourrait éviter les ennuis. Il pourrait tirer son épingle du jeu.

Une voix interrompit sa pensée. Une voix forte, impétueuse et autoritaire. Elle semblait monter de quelque part depuis la région du ventre.

T'ES PRIS AU PIÈGE !

— Quoi?

C'EST TA VIE !

— Mais…

VA ! VA-T'EN !

— Comment est-ce que je…?

SAUVE-TOI !

— J'peux pas. Faut-il rappeler ce qui s'est passé quand Hubert a essayé? Ils me retrouveront, me ramèneront, et me fouetteront. Et puis, où est-ce que je…?

LA MER, BIEN SÛR ! LA MER !

La mer. Autrejack se remémora les histoires du chef cuisinier. La mer qui se trouve là où se lève le soleil. Les oiseaux pêcheurs et les vagues sauvages et la respiration de l'eau au rythme de la marée.

— Mais quand?

SAUVE-TOI À L'AUBE !

Les pieds d'Autrejack se posèrent sur le sol froid avant même qu'il ne se rende compte que sa décision était prise. Il tira vers lui sa boîte placée sous le lit. Et tandis qu'il étendait sa chemise de rechange sur le plancher, il eut une pensée amicale pour madame Bonarien.

Deux chemises. L'une pour enfiler, l'autre pour en faire un balluchon. Sur cette chemise, il déposa son dictionnaire, à qui il avait pardonné, ses pantalons *préfortune* et ses chaussettes de bienfaisance.

DÎNER !

Ah, oui. Il n'avait pas mangé son petit pain et son fromage, au dîner, parce qu'il avait consacré toute sa pause à frotter son bureau pour enlever les taches d'encre. Il ajouta son repas à la petite pile.

Il plia et noua soigneusement la chemise, de façon à former une poignée avec les manches. Ensuite, il s'habilla et s'assit par terre, adossé au lit, serrant son balluchon contre lui et guettant les premières lueurs de l'aube par la grande fenêtre du dortoir.

« Audace et balluchon, se dit-il. C'est ça, la vie d'un ex-teneur de livres. »

Chapitre 7

Tout était trop bruyant. Le craquement de la troisième marche. Les réflexions du chat de la cuisine. Le grincement de la serrure. Les battements du cœur d'Autrejack.

Une fois dehors, il se blottit au coin du mur de briques et regarda vers la route – la longue route droite sans courbe ni buisson pour cacher un jeune fugitif.

Le ciel s'éclaircit, passant du gris à une teinte argentée.

La voix évitons-les-ennuis d'Autrejack commenta tranquillement : « En général, on reste là où l'on a été placé. »

Quelque part, une fenêtre s'ouvrit.

On ne reste pas ! On fuit !

C'était l'estomac d'Autrejack qui venait de donner l'ordre du départ. Et, ensemble, garçon et estomac traversèrent la route en cinq foulées de géant, faisant grincer le gravier, avant de se poser sur l'herbe. Tout en courant, Autrejack sentait des regards lui transpercer le dos. À chaque pas qu'il parcourait en soufflant, il s'attendait à percevoir les voix de Pointu ou de Teigne, annonçant qu'il avait été repéré. Patinant presque sur le gazon couvert de rosée, il courut très vite vers le portail. Quelques interminables minutes plus tard, il se glissa entre les montants en fer forgé. Il n'avait pas été découvert. Il se retourna, respira profondément et jeta un dernier regard aux fenêtres de l'école, qui l'observaient et que les lueurs de l'aube teintaient de rose.

«La mer est là où le soleil se lève.»

La route de gauche était comme une courtepointe d'ombre et de lumière.

— Viens par ici, lui disait-elle. Je te connais. J'ai des arbres. Je te cacherai.

Mais la route devant lui, large et dégagée, menait tout droit au soleil levant. Avec cette impression d'être le seul élément vertical dans un monde horizontal, Autrejack se mit en chemin.

«*Bien en évidence*, se dit-il. Comme *visible*, mais plus encore.»

Son balluchon à l'épaule, il se mit à trotter. Rien ne bougeait autour de lui. Il jeta un coup d'œil derrière lui. Jamais l'école ne lui avait semblé aussi immense et aussi proche. Dans le ciel, une mouette fit entendre son cri et Autrejack sentit son estomac tenter de bondir hors de sa gorge.

PLUS VITE!

Autrejack obéit, ne s'arrêtant que pour ôter sa veste et la nouer autour de sa taille. À chaque pas, il s'attendait à sentir une main pesante lui saisir l'épaule.

Les champs fauchés se succédaient, les récoltes étaient terminées.

Enfin, il aperçut une bordure de petits arbustes. Un bois. La sécurité. Un dernier sprint, et il se retrouva plongé dans une ombre épaisse, enfin à l'abri.

De l'ombre, un abri, une profonde respiration et…

ET LE DÉJEUNER ?

Autrejack était sur le point de faire passer son balluchon devant lui, pour considérer les possibilités d'un déjeuner, lorsqu'il l'entendit. Le bruit des sabots. Il regarda derrière lui vers le soleil qui brillait et aperçut une petite silhouette sur la route. Une petite silhouette qui devenait de plus en plus grande.

Il se représenta le début de la matinée à l'école. Un lit non défait, une place vide à la table du déjeuner.

On avait découvert sa disparition.

CACHE-TOI !

Autrejack se jeta tête première dans la haie qui bordait le chemin. Aïe ! Pas des buissons, mais des ronces. Elles déchirèrent ses vêtements et son balluchon. Le bruit des sabots approchait. Il se faufila dans un méchant buisson, qui le happa, et il tomba de l'autre côté. Il poussa un demi-soupir de soulagement avant de sentir une fraîcheur inhabituelle autour des oreilles.

Sa casquette.

Il examina le feuillage derrière lui. Elle était là, hors d'atteinte, sa casquette orange vif et bleu. C'était tout comme s'il y avait eu une pancarte indiquant : *Élève de l'École de la fortune, par ici !*

Le bruit des sabots se rapprochait de plus en plus. Un étroit sentier de terre longeait le bord interne de cette haie plus haute qu'Autrejack.

Cours !

« Inutile, se dit Autrejack. Un cheval, c'est plus rapide qu'un garçon, et un homme à cheval, c'est plus haut qu'une haie. »

C'est à ce moment qu'il entendit un son creux, le *plonk plonk* que produisait une multitude de cloches. Et, au détour du chemin, il vit apparaître un troupeau de moutons, une mer de laine et de pattes, suivi d'un berger, sourire et pipe accrochée aux lèvres.

— Autrejack ! cria une voix derrière la haie.

Plonge !

Tout en lançant un regard étonné en direction du berger, Autrejack laissa tomber son balluchon et se jeta parmi les moutons. Il s'accroupit et fut enseveli dans une mer laineuse solide. Il suivit le flot en se dandinant comme un canard.

— Hey ! Toi ! C'était la voix, familière, de Teigne. Tu aurais pas vu passer un gamin par ici ?

On entendit le gargouillement que faisait le berger en suçotant sa pipe :

— Un gamin ?

— Ouais, un gamin.

— Quel genre de gamin ?

— Le genre ordinaire, tête de nœud. Un jeune blondinet. L'as-tu vu ?

Il y eut un silence. Autrejack sentait que ses genoux commençaient à s'échauffer, il abandonna sa démarche de canard et se mit à ramper. Il s'agrippa au mouton devant lui et se traîna sur les rotules, en

plissant les yeux pour se protéger du nuage de poussière et en essayant d'ignorer l'odeur de l'extrémité arrière du mouton.

— J'peux pas dire que j'en ai vu un dans l'coin, répondit le berger.

— Pff! Ben, alors, tu sers à quoi? Bonne journée à toi.

Autrejack entendit hennir le cheval.

— Quoique, j'ai vu un gamin comme ça ailleurs, affirma le berger d'un air songeur.

— Alors, pourquoi ne pas l'avoir dit plus tôt? Où ça, grand niais?

Autrejack et son cortège de moutons s'éloignèrent hors de portée de voix.

Quelques minutes plus tard, la mer de moutons s'immobilisa.

— Sors de là, toi, le faux bêlant, lança une voix rieuse.

Autrejack se redressa et avala une grande goulée d'air frais. Ensuite, il se dirigea vers la rive de cette mer de moutons.

— Comment m'avez-vous appelé?

— Faux bêlant. Mouton, autrement dit. Je m'appelle Gabriel. Es-tu l'Autrejack que recherche cette face de bacon là-bas?

— Oui.

Autrejack se tut.

Était-il Autrejack? Il venait de réussir une belle évasion. Il avait fait preuve d'intelligence et de vivacité. Il n'était pas Autre-quelque-chose.

— En fait, c'est simplement Jack. Merci de m'avoir caché.

— Eh bien, ce sont mes dames masquées de noir qui ont fait tout le travail. Moi, tout ce que j'ai fait, c'est de raconter des salades.

Gabriel tira sur sa pipe puis en considéra le foyer avant de la ranger dans sa poche.

— Face-de-bacon est partie vers le nord, dans cette direction. Tu ferais mieux d'éviter ces coins-là. Tu t'es enfui ?

— Oui. Je me suis sauvé de l'école, et je vais vers la mer. Ils essaient de me ramener.

— Content d'avoir pu t'aider, alors. Je me suis moi-même enfui, il y a de cela fort longtemps. Et dans ce bas monde, je suis plus du côté des fugueurs que du côté des traqueurs.

Gabriel donna à Jack une bonne tape dans le dos.

— Bonne chance, Jack, salut.

Le *plonk plonk* des clochettes reprit et la mer laineuse se remit en marche.

Jack secoua la poussière de ses vêtements, éternua un grand coup et s'en retourna chercher son balluchon. Il se faufila de nouveau dans la haie et ramassa sa casquette qu'il fourra dans sa poche. Inutile de se faire remarquer sur la route.

Jack marcha le reste de la journée. Des champs brunis, des champs verdoyants, des bois fleuris et des collines rocheuses. C'était la chose la plus ordinaire et la chose la plus extraordinaire qu'il ait jamais faite au cours de toute son existence passée à éviter les ennuis. Il glissa un bout de bois dans les manches de la chemise qui formait son bagage et le jeta sur son épaule. Le balluchon se mit à rebondir au rythme de ses pas.

Chaque pas l'éloignait un peu plus d'Autrejack, qui disparaissait peu à peu dans la poussière. Ni cloche, ni règle, ni maître. Son ombre fut d'abord derrière lui puis devant lui, tandis qu'il se dirigeait vers la mer. Il sautillait et il dansait et il flânait et il savait sans l'ombre d'un doute qu'il pouvait y arriver. Il pourrait marcher jusqu'où il le voudrait. Vers la mer. Vers Zanzibar. Vers le reste de son existence.

«Des fugitifs, des traqueurs et des amis, se dit Jack. C'est ça, la vie d'un jeune vagabond.»

Chapitre 8

À la tombée du jour, Jack trouva une talle de mûres sur son chemin. Les fruits étaient si charnus et sucrés qu'on aurait dit de la confiture. Il se mit à cueillir et à manger, à cueillir et à manger. «Dans le dictionnaire, *dessert* se trouve avant *dîner*, se dit-il, alors pourquoi pas dans la réalité?» Au menu du dîner, il y avait un petit pain et du fromage. Il reprit ensuite du dessert encore et encore jusqu'à ce qu'il soit tout barbouillé de violet, puis il bâilla de contentement.

Dormir!

Jack regarda autour de lui. La talle de mûres était une bonne salle à manger, mais une piètre chambre à coucher. Il pensa à son lit, à l'école, un dur matelas de paille et une mince couverture rugueuse à l'odeur de poussière. Ce n'était pas un bon lit, mais au moins on pouvait compter dessus pour être là, nuit après nuit.

Une meule de foin? Une souche creuse? Une cabane abandonnée? Jack avança dans l'obscurité croissante, mais il ne vit rien de tout cela.

Enfin, aux dernières lueurs du jour, il aperçut un grand marronnier au milieu d'un champ. Il avait l'air solide; il y serait en sécurité.

L'arbre semblait fait pour que l'on puisse y grimper: ses branches robustes formaient une échelle. Jack noua le balluchon autour de sa taille et grimpa jusqu'à atteindre deux grosses branches disposées en fauteuil. Il retira ses bottes, son balluchon devint un oreiller, et la dernière chose qu'il aperçut avant de s'endormir fut une étoile solitaire scintillant à travers le feuillage.

* * *

La lueur du jour luisait faiblement lorsqu'il se réveilla, encore embué dans ses rêves et sans aucune idée de l'endroit où il se trouvait. Des ruisseaux d'encre et des moutons entonnant des chants de marins. Il rassembla ses idées éparpillées.

Pour la première fois de sa vie, il ne fut pas tiré de son sommeil par la forte sonnerie métallique de la cloche du dortoir ni par l'haleine de vingt garçons soufflée en circuit fermé. Il se réveillait sous le soleil, au grand air et avec ses propres projets.

Il jeta ses bottes et son balluchon au pied de l'arbre, puis se laissa glisser de sa branche jusqu'à ce qu'il puisse s'y accrocher par les deux mains. Il se balança comme le ferait un singe, un acrobate ou un pendule. Enfin, il sauta à terre en poussant un cri de joie.

Une seconde plus tard, il gémissait de douleur. Ses pieds brûlaient. Il ôta ses chaussettes pour regarder de plus près. Une journée à marcher, chaussé de bottes de l'École de la fortune, lui avait mis les pieds dans un triste état, couverts de plaies à vif et d'ampoules d'un rose luisant. Comment pourrait-il marcher? Il délaça ses bottes jusqu'à ce qu'elles soient complètement desserrées, et il essaya d'y glisser les pieds. Mais chaque craquelure, chaque rugosité à l'intérieur des bottes, chaque ongle qui accrochait infligeaient à ses pieds une douleur cuisante.

De l'eau lui ferait du bien. Jack se rappela le pont de pierre non loin, qu'il avait traversé le soir d'avant. Il attacha ses bottes ensemble, les fit pendre à son cou, et, pieds nus, il se mit en route. La poussière fraîche de la route lui adoucit le chemin vers le ruisseau, où il se rendit lentement en boitant.

Il se laissa glisser vers la rive gazonnée et trempa ses pieds dans l'eau fraîche.

« Aaaaah. »

DÉJEUNER!

Jack avala à grand bruit une bonne gorgée, puis il déballa ce qu'il lui restait de nourriture. Un petit pain, plutôt rassis, et une pomme. Il mangea le tout lentement pour profiter de chaque bouchée en contemplant le ruisseau paresseux. Ces pieds-là, à vif et pleins d'ampoules, n'allaient pas le mener bien loin.

De l'eau. Des mûres. Comment pourrait-il trouver autre chose à manger? Une petite crainte se mit à le titiller.

Il s'empara de son dictionnaire et se mit à le feuilleter.

Fatalité. Un revers de fortune.

Il se laissa tomber sur le gazon et ferma les yeux.

— Sur la route?

Jack ouvrit les yeux et aperçut un visage qui l'observait par-dessus le parapet du pont. C'était un visage ridé, basané et barbu, coiffé d'un chapeau de cuir crasseux à larges bords.

— En fait, oui, fit Jack, je voyage.

— Pour où? répliqua le visage.

— Vers la mer, répondit Jack.

— La foire? reprit le visage.

Jack resta perplexe. Que voulait dire *foire*? Il lui sembla plus simple de répondre par oui.

— Viens, lui dit le visage avant de disparaître.

Jack ramassa ses affaires et escalada la rive pour y apercevoir une charrette bancale remplie de citrouilles. Un cheval coiffé d'un chapeau de paille était attelé au chariot. Le visage au peu de mots tenait les rênes. Il jeta un coup d'œil à Jack, claqua de la langue à l'intention du cheval et pointa le pouce vers l'arrière par-dessus son épaule.

Et tandis que la charrette se mettait en branle, Jack se hissa à l'arrière et se laissa tomber au milieu des citrouilles. Il se fraya un chemin parmi les monticules et trouva un coin où il put s'allonger. Il contempla le bleu profond du ciel parsemé de petits nuages blancs, que le soleil s'appliquait à faire disparaître. Les roues couinèrent, les harnais grincèrent, le cheval hennit et Jack goûta au plaisir de se déplacer tout en restant immobile.

La route s'animait à mesure que le jour se levait. On commença à croiser des promeneurs portant des paniers et poussant des charrettes à bras. Une femme

avançait, coiffée d'un gros ballot blanc, une fillette maigrichonne menait une chèvre maigrichonne, un homme faisait rouler une mystérieuse roue de pierre, un garçon trimballait sur son dos une cornemuse. Tous semblaient connaître l'homme aux citrouilles.

— Bonjour, Sam.

— Tu te rends à Amerbourg, pas vrai ?

— C't'un beau temps pour ça.

— B'jour, répondit Sam, avec un salut de la main.

On entendait le grincement de charrettes et de chariots plus gros tirés par des chevaux fringants, qui envahissaient petit à petit la route poussiéreuse. Une roulotte aux couleurs vives de l'arc-en-ciel déboucha d'un carrefour et se mit à rouler pépère devant le chariot de Sam. Un perroquet vert piaillait dans une cage, qui se balançait à un crochet au-dessus de la porte arrière.

Jack essaya d'abord de se cacher au cas où on le rechercherait sur la route. Mais il y avait trop de choses à voir dans la foule qui tourbillonnait autour de lui. Il se dit que, de plus, un jeune homme en quête de sa bonne fortune ne se ratatine pas au fond d'une charrette, en écoutant le gargouillement de son estomac et en faisant semblant d'être une citrouille. Il regarda hardiment autour de lui pour voir ce que le monde avait à offrir.

Jack secoua la poussière sur lui et se leva fier et droit sur le tas de citrouilles.

Il remarqua bientôt des bornes de pierre sur le côté de la route. Amerbourg 3. Amerbourg 2. Amerbourg 1.

Et il la huma. Cette odeur de poisson, de sel et d'humidité. L'odeur de la mer. Il la respira, puis s'adressa au large dos devant lui.

— Est-ce qu'on arrive bientôt? Est-ce qu'on arrive bientôt à la mer?

Sam fit oui de la tête.

Au virage suivant, la charrette s'arrêta en haut d'une colline, et il l'aperçut.

Elle était grise et verte et blanche. Lisse et immense. Non loin, il y avait une ville proprette derrière laquelle on voyait la mer. Des vagues, des voiles et l'infini.

«Il ne m'avait pas raconté ça, se dit Jack. Le chef ne m'avait pas dit que seulement de l'apercevoir, ça nous donne une sensation de grandeur. Plus grand que grand. *Vaste.*»

Sam claqua de la langue à l'intention de son cheval et amorça la descente de la colline. Jack se dressa en équilibre sur son siège en citrouille et regarda encore le ciel et la mer et la danse des mouettes.

«Des paysages, des fatalités et l'immensité, se dit-il. C'est ça, la vie d'un oiseau de passage.»

Chapitre 9

La vue de la ville raviva l'enthousiasme du cheval de Sam et, quelques instants plus tard, les sabots claquèrent sur le pavé de la route menant au marché. Ils étaient arrivés. Aux abords de la place, on s'affairait à décharger les marchandises. Tout à coup, Jack comprit le sens d'un des rares mots qu'avait prononcés Sam.

Bien sûr!

Une foire. Une foire de ville.

Sam manœuvra la charrette vers un emplacement libre, puis se retourna et se hissa sur les citrouilles.

— Descends! ordonna-t-il à Jack.

Jack sauta au bas de la charrette et attrapa au fur et à mesure les citrouilles que lui tendait Sam pour les disposer en une pile bien ordonnée. Une fois la charrette vidée, Sam fouilla dans la poche intérieure d'une de ses vestes superposées et en sortit un morceau de pain ainsi qu'un oignon.

— Mange! ordonna-t-il, en tendant le tout à Jack.

Il se dirigea à grands pas vers la fontaine au centre de la place après avoir tiré un seau de dessous le siège.

Jack s'installa sur la plus grosse citrouille pour manger.

IL ÉTAIT DRÔLEMENT TEMPS, déclara son estomac.

Aucun roi n'aurait été aussi comblé par un festin que Jack le fut par son déjeuner. Le moelleux du pain, le croquant de l'oignon. Jack composa un repas en quatre services. Pain. Oignon. Pain et oignon. Oignon et pain. Et aucun roi n'aurait eu droit à un spectacle aussi animé que celui qui se déroulait sur la place sous ses yeux.

Ici, on apercevait un cordonnier déballant des paires de bottes brunes vernies; là, une femme disposant des bocaux d'épices sur un tapis au sol. Jack entendit le cri strident d'un perroquet, et aperçut la roulotte qu'il avait déjà vue sur la route. Deux enfants suspendaient des chaudrons et des casseroles rutilantes sur les côtés. On voyait apparaître des paniers remplis de montagnes de pommes de terre, de betteraves, de pommes et de courges. Des tresses d'oignons pendaient à des bâtons, des bocaux de gelée luisaient au soleil.

On vit passer un homme à l'habit entièrement orné de rubans et de dentelles virevoltant dans l'air. On entendait des cris, des martèlements et le son d'une flûte; on entendait des enfants pleurer, des hommes siffler et des poules rouspéter.

Provenant de derrière un présentoir de peaux de mouton, on entendit tonner une voix:

— Brioches, brioches, brioches! Chaud les brioches! Trente sous la brioche! Brioches, brioches, brioches!

Une fille maigrichonne apparut portant un plateau de bois accroché autour du cou.

— Brioches, brioches, brioches!

Jack regarda avec insistance. Il n'arrivait pas à croire qu'une voix aussi puissante puisse provenir d'une silhouette si chétive. La fillette s'approcha de Jack et s'appuya contre la charrette de citrouilles pour retirer un caillou de sa sandale. Elle le regarda avec curiosité.

— Je m'appelle Lou, dit-elle. Toi, t'es qui?

— Autre… Je veux dire, Jack, répondit Jack.

— Qu'est-ce que tu vends, alors?

— Moi? J'ai rien à vendre.

— Ah! Pas d'argent pour de la marchandise. C'est un refrain que je connais bien. Dur, ça. Et de la cueillette? Ramasser des fruits? Du cresson? Des bigorneaux?

Jack secoua la tête.

— Un artiste, alors?

— Qu'est-ce que tu veux dire?

La fillette le regarda en fronçant les sourcils.

— Jongleur? Acrobate? Tu chantes? T'es marionnettiste?

— Non, je ne fais rien de tout ça.

— C't'aussi bien. C'est pas un endroit pour rigoler, ici. Bon, alors, il faudra que tu te trouves un travail.

— Je sais travailler dans une cuisine et tenir des comptes, mais je ne ferai plus ça. Ce n'est pas ma destinée.

La fillette maigrichonne rigola.

— De toute façon, ça ne servirait pas à grand-chose ici! Prendre soin des chevaux, porter des

messages, balayer les wagons, charger et décharger, voilà ce qu'il nous faut ici. T'as intérêt à te montrer dégourdi.

Jack ignorait si ce qu'elle disait s'adressait à lui ou à elle-même, mais il n'eut pas l'occasion de le savoir.

— Brioches, brioches, brioches!

Et elle disparut.

Sam revint, portant un seau d'eau, et commença à dételer son cheval.

— Besoin d'un coup de main? demanda Jack.

— Nan, répondit Sam. C'est fini pour toi.

Jack ramassa son balluchon et alla se promener dans le marché. Partout, on voyait des bottes et des cloches, des épices et des vêtements, des parfums et des potions et des kiosques de crêpes. Les marchands étaient presque prêts, les acheteurs commençaient à arriver.

Jack observait les habitants de la ville. Tous, même les enfants, étaient proprets et bien mis comme des maîtres d'école. Le bas des pantalons des garçons s'arrêtait tout juste à la cheville, jamais plus bas. La chevelure des filles était séparée par des raies aussi droites qu'un sillon de charrue dans un champ. On ne voyait rien qui fût déchiré, rapiécé ou taché. La teinte de leurs vêtements était semblable à celle des moineaux, gris et brun, et brun et gris. Ils parlaient d'une voix douce et aucun d'eux ne souriait.

— Par ici! fit une voix.

Jack se retourna. Une femme enfouie sous plusieurs couches de châles lui attrapa le bras d'un pincement.

— Surveille mon étal, veux-tu ? Cathie est partie flâner avec son jeune copain et mes œufs.

Elle lui indiqua un tapis élimé au sol.

— Assis-toi là. J'te donnerai trente sous.

Et sans plus attendre de réponse, elle s'éloigna en marmonnant quelque chose à propos de « c't'écervelée ».

Jack se laissa choir sur le tapis. Il pensait aux trente sous.

Avec trente sous, on peut acheter une brioche ! lui affirma son estomac. Ensuite, il réfléchit au mot *marchandise* et sortit son dictionnaire. Marchand. Marchandise. Biens, produits, stock, trucs. Qu'est-ce qu'un voyageur peut bien vendre ? Qu'est-ce qu'un voyageur peut bien pouvoir fabriquer ou cultiver ou glaner ?

Bon, alors, pour l'instant, il n'était pas un marchand, mais un surveillant. Et il y avait plein de choses à surveiller.

Il prit une profonde respiration. Au-delà de tout, par-delà les chevaux et la cannelle et la poussière, on pouvait sentir la mer, comme on peut voir encore le bleu au lointain d'un ciel bleu.

« Observer et rester assis, se dit-il. C'est ça, la vie d'un surveillant d'étal. »

Chapitre 10

— Qu'est-ce que vous vendez ?

Surpris, Jack leva les yeux. Une jeune femme le regardait d'un air hautain.

— C'est quoi votre marchandise, monsieur ? De l'air ?

Jack observa attentivement la jeune femme. Quelque chose dans la manière dédaigneuse de prononcer *air* lui rappela quelqu'un.

Ah ! oui ! Sophie. Une des grandes de l'école. Sophie avait douze ans lorsqu'elle était entrée en apprentissage chez une chapelière. Du jour au lendemain, de simple orpheline ou d'enfant trouvée, elle s'était métamorphosée en dame prout-prout-ma-chère hautaine et maniérée. Elle était si remplie d'elle-même qu'il ne lui restait plus d'espace pour une idée neuve. Cela faisait d'elle une cible de moquerie idéale.

C'était une tout autre Sophie, aucun doute là-dessus.

— Je vends de la fantaisie, répondit-il.

La jeune femme plissa le nez et posa un doigt sur son menton.

— De la fantaisie? C'est stupide. Qui voudrait *acheter* de la fantaisie?

— Des gens qui n'en ont plus, répondit Jack. Des gens dont la fantaisie est épuisée, ou moisie, ou encore démodée.

La jeune femme fronça les sourcils, souffla un petit *mhh* de ses narines et tourna les talons.

Jack était sur le point de pouffer de rire lorsqu'elle revint sur ces pas.

— Démodée?

— Oui, répondit Jack. La plupart des gens aiment renouveler leur fantaisie chaque saison. Les gens de qualité, en tout cas.

On aurait dit que la cliente de Jack avait pris racine.

— Combien pour une fantaisie?

Jack réfléchit à toute vitesse. C'était mieux encore que n'importe quelle moquerie.

— Une pomme.

La mâchoire de la jeune fille tomba légèrement.

— Je reviens dans une minute.

Se retenant de pouffer de rire, Jack la regarda traverser la place en direction de la charrette de pommes. Elle revint vers lui, avec, dans la main, une grosse pomme rouge striée d'une belle couleur dorée.

— Une fantaisie, s'il vous plaît.

Jack et son estomac eurent une petite conversation.

— Ce ne devait être qu'une blague.

Prends cette pomme!

— Je ne suis pas vraiment un marchand.

Prends cette pomme!

— Et si ça m'attire des ennuis?

Prends cette pomme, je te dis!

Jack prit la pomme et regarda attentivement aux alentours. Du fond du marché lui parvenait le *toc toc* rythmé d'un marteau.

— Bon, eh bien! fit-il. Voici une fantaisie dernier cri. Si on colle de petites pièces de métal aux semelles de nos souliers, on peut faire de la musique en dansant.

— Mais, je n'ai pas le droit de danser, protesta la jeune femme.

— Ah, c'est correct, répondit Jack. Ce n'est pas nécessaire de le *faire*. C'est juste une idée, après tout.

— Oh, fit la jeune femme. Bon, alors...

Et elle s'en alla.

La pomme croquant sous les dents semblait de la musique à ses oreilles. Le jus lui coulait sur le menton, et il avait du mal à mâcher tellement il riait.

Sa carrière de surveillant fut toutefois interrompue par le retour de la mère de l'écervelée, qui reprit sa place à l'étal. Elle était chargée d'œufs et d'une histoire sans fin sur la niaiserie des amours de jeunesse. Après avoir reçu ses trente sous, Jack s'en alla à la recherche de Lou. Pour la retrouver, il n'avait qu'à se fier à son oreille.

Lou lui offrit le tarif spécial deux pour un, et tandis qu'il mastiquait, elle le mit au courant de deux ou trois petites choses sur Amerbourg.

— Tu t'amuserais bien plus en compagnie d'une bande de palourdes, affirmait-elle. Ils ne sourient jamais, rient encore moins, et ne font jamais un brin de jasette. As-tu vu ces enfants trop sages? Je pense plutôt que ce sont des adultes qu'on a rétrécis. Ils ne savent pas ce que s'amuser veut dire. L'automne dernier, pour la dernière soirée de la foire, les gens du marché avaient organisé une petite fête sur la plage avec de la musique pour danser. Et comme de fait, le maire d'Amerbourg – tu l'as probablement déjà vu, il a une de ces faces, on dirait une patate – s'est pointé et a arrêté la fête parce que d'après lui, nous étions trop bruyants.

— Pourquoi viens-tu ici, alors?

— Ben, parce qu'ils ont beaucoup d'argent. Ces Amerbourgeois, ils travaillent dur et sont du genre économe. Ils achètent beaucoup de brioches. J'peux pas me permettre de manquer la foire de la ville. Hey! C'est quoi cette bande de péteuses de broue?

Lou observait un groupe de filles à l'autre bout du marché, qui regardaient dans leur direction et les montraient du doigt. Jack reconnut sa cliente entourée d'autres filles du même genre.

Il haussa les épaules.

— J'sais pas.

— J'vais vous donner quelque chose à voir, cria Lou, et elle leur tira la langue.

Elle agrippa Jack par le bras.

— Viens-t'en, toi.

Lou trouva un boulot à Jack chez un maréchal-ferrant; il devait maintenir les chevaux pendant qu'on les ferrait. Pour une heure de travail, Jack gagna un chapelet de saucisses, dont il mangea la moitié sur-le-champ.

Finalement, en accord avec son estomac, Jack quitta la foire pour s'engager dans les rues étroites et escarpées menant à la mer. Une fois au bord de la plage, il resta là à se laisser porter par un petit vent soufflant en continu.

L'après-midi s'achevait. Les bateaux de pêche rentraient, arrivant de partout dans la baie. Quelques-uns de ces bateaux avaient déjà été tirés sur le sable, et, à leurs côtés, des hommes s'affairaient à ranger les voiles et à réparer les filets. Un homme chaussé de grosses bottes passa près de Jack en faisant craquer le sable sous ses pas. Il portait deux seaux remplis de poissons argentés frétillants.

Jack descendit rapidement au bord de l'eau. Le miroitement de la mer sous le soleil lui fit plisser les yeux. Les vagues se brisaient sur les cailloux de la grève. Il ramassa une poignée d'algues, de coquillages et de bois dans la guirlande de trésors qu'avait déposés la mer en se retirant. Même les Amerbourgeois, si épris de silence, ne pouvaient faire taire les mouettes accompagnant de leurs cris le retour des bateaux.

Jack passa le reste de la journée à observer les crabes, à ramasser les coquillages (le dernier cueilli étant toujours plus parfait que le précédent), et, le nez dans le sable, à en compter toutes les couleurs, à attraper des rochers avec des lassos d'algues et à tremper ses pieds dans les vagues. Et alors que le soleil se couchait tranquillement, les pêcheurs rentrèrent chez eux pour le repas du soir tandis que Jack mangeait ce qu'il lui restait de saucisse pour souper et lisait une bonne partie des mots en *R* dans son dictionnaire. Ensuite, il se roula en boule sous une voile qui traînait sur le quai et écouta claquer les vagues dans le noir, se demandant en souriant ce que la jeune fille prout-prout pouvait bien faire de sa fantaisie.

« Des vagues et des fantaisies, se dit-il. C'est ça, la vie d'un loup de mer. »

Chapitre 11

Au matin, Jack remonta péniblement la colline pour retourner à la foire, son estomac s'étant catégoriquement opposé à un déjeuner d'algues. Le garçon espérait que le maréchal-ferrant aurait encore besoin de ses services.

Mais, dès qu'il arriva sur la place, une grosse dame portant un tablier blanc immaculé l'attrapa par le bras.

— Le voilà, cria-t-elle.

En l'espace d'un éclair, tout ce que Jack avait pu faire de mal au cours de son existence lui revint en mémoire.

Sauve-toi!

Mais la femme le retenait d'une main ferme et forte.

— C'est toi le gars des fantaisies? demanda-t-elle.

La gorge de Jack se serra.

Dis non! Dis non!

Mais Jack fit oui de la tête.

— Bien, dit la dame.

— C'est lui, cria-t-elle à la cantonade.

Un groupe de personnes apparut et entoura Jack.

— Maintenant, parlons affaires, annonça la femme. Qu'as-tu à offrir aujourd'hui?

— Heu... Des idées? répondit Jack avec un léger craquement dans la voix.

— Bon, alors. Quel genre d'idées?

— Eh bien, j'ai des fantaisies, bien sûr. Et...

Quelque chose jaillit dans l'esprit de Jack, comme une étoile filante composée de mots.

— J'ai des pensées, des concepts, des plans, des opinions, des impressions, des notions et des drôleries.

— Combien pour des impressions? demanda la dame.

DÉJEUNER!

— Pour le prix d'un petit morceau de fromage, répondit Jack.

— Marché conclu, dit la dame. Alice!

Une jeune fille pâlotte apparut.

— Alice, du fromage. Un petit morceau. Et que ça saute!

Alice partit sur-le-champ.

Jack posa le menton sur sa main et fixa le regard au ciel. Il baissa les yeux vers le sol. Il remarqua que les robustes souliers noirs de la dame étaient saupoudrés de farine. Ensuite, il porta son attention aux collines derrière la ville, là où la brume du matin commençait tout juste à s'évaporer.

Alice revint, pâle et essoufflée, portant un petit fromage jaune.

Jack fredonna légèrement.

— Une impression: La colline du milieu est un énorme gâteau aux carottes tout juste sorti du four.

La dame regarda attentivement, elle aussi.

— Oui, affirma-t-elle. C'est ça. Exactement ça.

La dame l'annonça à ses amis qui l'annoncèrent à leurs amis, et, très vite, les clients arrivèrent en flot continu.

Le pêcheur avec le seau de poissons argentés apparut, accompagné de son frère jumeau. Ils se tenaient aux abords de la foule, se donnant des coups de coude.

— Vas-y, toi, Pierre.

— Non, toi, vas-y, Luc.

Jack se rappela Lambin à l'école. Lambin n'arrivait à parler que tard le soir, à la noirceur, lorsque personne ne pouvait le voir.

Tout en regardant prudemment en direction opposée des pêcheurs, Jack annonça :

— Promotion ! Idées en promotion ! Impressions sur la mer ! Chaud les idées ! On en profite ! Ça part vite !

Un léger toussotement se fit entendre tout juste derrière son épaule gauche.

— On en prend une, fit une voix.

— Une bien faite, ajouta une autre voix.

— Bien, dit Jack, le regard perdu au loin. Une impression sur la mer. Bien faite, toute fraîche, de première qualité. Pour un homme de la terre, l'odeur des algues lui rappelle la mer. Pour un homme de la mer, l'odeur des algues lui rappelle la terre.

— Il a bien raison.

— Tout à fait raison.

La journée avançait. La file de clients était toujours aussi longue. Le stock de marchandises de Jack ne diminuait jamais. Toutes ces idées conçues au cours de ces heures à récurer des casseroles, à brasser la soupe et à rester allongé dans son lit, où il faisait trop froid pour dormir. Elles étaient déjà toutes prêtes et n'attendaient que d'être formulées pour être offertes à la vente. Il avait l'impression d'ouvrir une fenêtre dans son esprit pour laisser entrer la lumière du soleil et un doux vent.

Le soir venu, Jack avait fait trois bons repas. Jamais son estomac n'avait été aussi paisible. Jack possédait également de nouvelles bottes amples et lisses qui épousaient délicatement la forme de ses pieds. Il avait un parapluie, la promesse d'un lit à l'auberge, un canif, une tasse en fer blanc, une nouvelle casquette d'un brun discret, un flacon de médicament pour soigner tous les bobos, un sac à dos muni de sangles et de poches, un bocal rempli de sous, un dictionnaire comportant toutes les lettres et son propre tapis pour s'asseoir.

Sa journée terminée, alors qu'il commençait à rouler son tapis, il remarqua une petite tarte à la citrouille oubliée dans le feu de l'action. Son estomac lui offrit de trimballer lui-même la tartelette, alors Jack la fourra dans sa bouche. Elle était épicée, riche et crémeuse.

«Des plans et des tartes à la citrouille, se dit-il. C'est ça, la vie d'un compagnon de fortune.»

Chapitre 12

Le lendemain matin, Jack arriva en retard au marché parce que, la veille au soir, il avait découvert des plaisirs entièrement nouveaux. Lecture au lit, estomac bien rempli, matelas moelleux, édredon de plumes, longue bougie et personne pour lui dire quoi faire. Jack songea que, le paradis, ça devait ressembler à quelque chose comme ça. Il lut sa partie préférée de *T*, une nouvelle section de *B* et tous les mots commençant par *ex*. C'est tout juste s'il eut la présence d'esprit de souffler la chandelle avant de s'endormir.

Au matin, il savoura un café pour la première fois. «Finalement, décida-t-il, on n'a pas vraiment besoin d'un paradis. » Lorsqu'il arriva à son emplacement, une file d'attente s'était déjà formée, mais Jack était si plein de jambon et d'œufs et de café et de bonté qu'il prit la décision de commencer ses activités en offrant des échantillons gratuits aux enfants.

«Je suis comme les dames de bienfaisance, se dit-il. Il faudra que je me procure un chapeau. »

Pendant une heure environ, il distribua des idées et des rêveries. Des trolls logeant sous des ponts, des lapins vivant sur la lune et dormant sur des matelas d'eau, des maisons construites en bonbons, des langues secrètes, un combat entre des chats et des épagneuls, dix excellentes façons d'utiliser un bout de corde et des royaumes sous la mer.

Les enfants un peu pâlots, très propres, infiniment polis et trop sages se mirent à bavarder et à rigoler sans que cela semblât déranger les parents. En fait, toute la population d'Amerbourg paraissait vraiment transformée. Les gens se promenaient, souriant à demi, murmurant des propos comme: «*Snob* prononcé à l'envers devient *bons*» et «Ce n'est peut-être pas la marée qui descend, mais la terre qui monte.»

Jack était en train d'offrir une notion à une fillette au visage parsemé de taches de rousseur à propos de garnitures surprenantes que l'on peut mettre dans une tarte, lorsque, tout à coup, un silence tomba sur la foule.

Jack leva les yeux et vit un homme avec une face de patate se diriger vers lui.

Un murmure parcourut l'assemblée:

— Le maire! Le maire!

— Qu'est-ce que tu fais ici? Qu'est-ce que tu vends? demanda le maire en s'approchant de Jack, bousculant presque la petite fille.

— Je vends des idées, répondit Jack. Je suis un marchand d'idées, mais je n'ai pas fini avec mon client. Je vous invite à attendre votre tour en file.

La fillette s'était mise à pleurer; sa mère la prit dans ses bras et l'emmena.

— Me mettre en file! Pfff! T'es prends où, ces idées-là, toi?

— Je les fabrique, répondit Jack.

— Fabriquer ? Tu les imagines plutôt !

La face de patate était toute rouge.

Jack posa un doigt sur le menton en regardant au loin par-delà des collines.

— Oui, dit-il. Je les imagine. De toutes pièces, dans tous les sens et sous tous les angles.

On entendit quelques ricanements. Le maire se retourna et regarda la foule d'un air furieux.

— D'accord, dit-il. Regardons un peu ces soi-disant idées.

— Pensée, concept, plan, opinion, impression, notion, drôlerie ou fantaisie ? demanda Jack.

— Donne-moi une fantaisie, ordonna le maire, de plus en plus rouge.

— En général, répliqua Jack, le prix pour une fantaisie, c'est une pomme. Mais vous êtes chanceux. Ce matin, je distribue des échantillons gratuits. Bon, alors, voici une fantaisie. Si, par un jour ensoleillé, vous mettez vos mains comme ceci – Jack leva la main à plat, les doigts rapprochés, le pouce touchant le majeur – vous pouvez projeter une ombre en forme de canard.

De rouge, la face de patate vira au mauve. Le maire ouvrit et ferma la bouche comme un poisson.

— Un canard ! C't'utile, ça ? Pour quoi faire ? Ça sert à quoi, ces idées-là ?

Jack répondit très tranquillement :

— Ça sert à aérer l'esprit. Ça permet de s'arrêter un instant, de sourire et de se dire : « Ça alors, j'avais jamais pensé à ça avant. »

— Des sottises, trancha le maire.

— En fait, non, répondit Jack, je ne vends pas de sottises. C'est réservé au marchand de sottises. Il vend toutes sortes de sottises : absurdités, folies, idioties, balivernes, âneries, bêtises, niaiseries, inepties, foutaises, charabia.

— Silence, rugit le maire. Amerbourg ne tolérera pas cette insolence. Tu vas avoir de mes nouvelles demain.

Puis, il tourna les talons et s'en alla d'un pas furieux.

Tout le monde regardait Jack en silence. Les enfants avaient de nouveau l'air pâle et inquiet. Jack haussa les épaules.

— Je ne pense pas qu'il ait vraiment aimé sa fantaisie, non ? Peut-être qu'il aurait préféré celle sur les moutons sauteurs. Quoi ? Vous ne connaissez pas le saute-mouton ? Saute-mouton, c'est une idée géniale quand on attend en file. Venez, je vous montre.

Jack plaça les petits enfants l'un derrière l'autre pour qu'ils puissent jouer à saute-mouton, tout en se remémorant Antoine. Le maire était comme Antoine. Une brute, un despote, un... tyran.

Les usages du monde, les usages de l'école. Au fond, ce n'est pas si différent.

Il remarqua une fillette hésitant devant la ligne de saute-mouton.

— On se baisse tous un peu plus. Il y a une petite qui arrive, annonça Jack.

Après avoir sauté par-dessus tous ceux de la file, la fillette tendit timidement un caramel à Jack.

« Des caramels et des tyrans, se dit Jack. C'est ça, la vie d'un marchand d'idées. »

Chapitre 13

Les affaires allèrent bon train au cours de l'après-midi. Les habitants de la ville de même que les marchands ambulants demandaient toujours plus d'idées à Jack. Certaines personnes parmi les plus riches en avaient acheté une de chaque variété, de sorte que Jack fut obligé d'ajouter de nouveaux produits comme des intuitions et des prémonitions.

En plus de tout ce qu'il avait fourré dans son sac et d'un plein panier de nourriture, Jack avait obtenu des promesses. Promesse d'une journée de pêche, promesse d'une visite à une nouvelle portée de chiots, promesse d'une coupe de cheveux.

Tout juste comme il fermait sa boutique afin de suivre sa première leçon de jonglerie, il vit apparaître la tonitruante Lou.

— Urgence, fit-elle. Viens avec moi. T'as un pépin.

— Mais je viens tout juste de comprendre comment jongler avec deux oranges. Regarde.

Lou tira Jack par la manche, qui échappa ses oranges.

— Allez, viens ! C'est important !

Lou entraîna Jack sur une route qui longeait les hauteurs de la ville. Au bout de cette route se trouvait un gros édifice dont les fenêtres semblaient hostiles. Lou conduisit Jack vers des buissons serrés contre l'arrière du bâtiment.

— Une chance pour nous qu'il fait chaud. Ils ont laissé une fenêtre ouverte. Il y a une place dans ces buissons d'où on peut espionner.

L'endroit tout près du bâtiment était sombre et poussiéreux et jonché de feuilles mortes. Jack et Lou durent s'accroupir un peu afin de pouvoir épier par-dessus le rebord de la fenêtre.

Jack regarda à l'intérieur et aperçut une table entourée d'hommes. Il reconnut plusieurs de ses clients. Il y avait là le rouquin qui lui avait acheté une opinion à savoir que l'aube vaut mieux que le coucher du soleil. Il y avait également ce bègue à qui Jack avait vendu une fantaisie sur les éternuements.

Et il y avait le maire face-de-patate qui rugissait.

— Il faut faire quelque chose à propos de ce colporteur d'idées, au marché. Il est dangereux.

— Mais…, protesta un monsieur au crâne chauve, en levant le doigt.

— Oui ? rugit le maire, dont la face de patate avait tourné au violet. Vous avez quelque chose à dire ?

— Heu, non, répondit le chauve.

— Bon alors, qu'est-ce que vous pensez de ces soi-disant idées ? Hein ? Hein ? Allez ! Tout le monde. Répondez.

Silence.

— Excusez-moi, messieurs.

La voix du maire se tut soudainement.

— Des conseillers muets, ça ne sert à rien. Des conseillers muets, ça pourrait devoir se chercher un autre travail, reprit-il.

Alors, un par un, ils se mirent à parler, d'abord doucement, puis tous ensemble.

— Des idées nouvelles, c'est dangereux et ça fait désordre.

— Les idées, ça fait du bruit.

— Les idées, ça ne va pas ensemble.

— Ça ramasse la poussière.

— Ça perd ses poils.

— Ça heurte le cerveau.

— Ça cause des allergies.

Le maire sourit, et, de violette, sa face redevint mauve.

— Alors, que pourrait-on faire de ce vendeur d'idées ?

— Jetons-le en prison, crièrent les élus à l'unisson.

— C'est ça, affirma le maire. Et jetons la clé ensuite. Appelez les policiers !

Jack se rassit sur ses talons.

— Allez viens, chuchota Lou. Il faut partir d'ici.

Lou connaissait un autre itinéraire pour se rendre au marché. Un chemin qui passait par-dessus des murs, sous des clôtures, à travers un troupeau de vaches, sur un pont de galets dans un ruisseau. Lou filait comme le vent. Jack glissait et trébuchait au point, quasiment, d'en perdre ses mots.

Lorsque Jack et Lou arrivèrent au marché par l'arrière, ils trouvèrent tout le monde en grande conversation. Les idées flottaient dans les airs comme des bulles de savon.

— Nous allons faire plonger le policier, affirma Pierre.

— Dans la fontaine, renchérit Luc.

— Tête la première, ajouta Pierre.

— Nous aussi, on va participer, crièrent de leur voix aiguë tous les enfants d'Amerbourg naguère bien élevés.

Jack s'arrêta net sur le chemin. On entendait un brouhaha.

De son bord. Tout le monde était de son bord. Son bord, où il n'y avait jamais eu plus de place que pour une personne. Ce bord était maintenant une large place occupée par une foule bruyante.

Un des clients de Jack, un homme riche en réflexions, s'avança et l'empoigna par l'épaule.

— Gédéon. Boulanger. Enchanté. Il faut faire preuve d'astuce, jeune homme. Nous sommes poursuivis par la loi.

L'homme souleva la petite fille timide, celle qui tantôt jouait à saute-mouton.

— Accroche-toi, Isabelle.

Il se mit en route en courant d'un pas lourd, en tenant Isabelle, qui rebondissait dans ses bras et avec Jack sur ses talons. Après avoir dépassé les limites du marché et grimpé la colline, ils arrivèrent près d'une imposante charrette. En moins de temps qu'il faut pour le dire, Jack se retrouva dans la charrette, recouvert de sacs de farine, et l'on se mit en route.

Au bout de quelques minutes, Jack sentit un poids à ses côtés. Un petit pied dans une botte de cuir souple bien proprette se frayait un chemin sous les sacs.

Puis il entendit un chuchotement :

— Tiens mon pied, si tu as peur.

Jack n'avait pas vraiment peur. Il avait reconnu en Gédéon un homme qui savait éviter les ennuis. Mais il ne pouvait pas refuser cette proposition si gentille de la part d'Isabelle. Alors, pied dans la main, ils roulèrent doucement sur la route laissant le brouhaha du marché derrière eux.

Pendant un moment, tout fut silencieux, on ne percevait que le pas des chevaux assourdi par la poussière. Ensuite, on entendit un grondement de plus en plus fort. Et enfin, la voix de Gédéon.

— Nous voilà à la maison. Sains et saufs. Tu peux sortir.

Jack émergea de dessous les sacs et aperçut une immense roue à aubes tournant lentement, actionnée par un flot d'eau continu. Bien sûr ! Les sacs de farine, une roue à aubes. Boulanger, ce n'est pas qu'un nom, mais aussi un métier. Jack sauta par terre.

La roue à aubes se trouvait sur le côté d'un gros bâtiment de pierre sans fenêtres qui avait l'air d'une montagne taillée net. Tout près de cette montagne, on pouvait apercevoir une maison blanche avec un grand porche et deux chats, un noir et un roux, endormis sur les marches de l'entrée. Un rosier en fleurs grimpait le long de la porte.

La porte s'ouvrit et Jack vit sortir l'une de ses clientes, qui lui avait acheté des notions. Une dame

ronde et souriante, coiffée de nattes ramenées sur la tête.

— Tiens, si c'est pas le maître des idées !

— En cavale, répondit Gédéon. Un fugitif poursuivi par la justice. Je lui ai prêté secours.

Cavale. Secours. Jack pensa à son dictionnaire dans son sac resté au marché.

Il se sentit tout à coup démuni. Comme isolé, mais plus encore. En sécurité, mais un peu perdu. Le bruit de la chute d'eau envahit ses oreilles.

« Perdu et solitaire, pensa-t-il. C'est ça, la vie d'un fugitif recherché par la justice. »

Chapitre 14

Alors que Jack était là, dans la cour, à essayer de lutter contre la panique et de retenir ses larmes, il sentit une petite main se glisser dans la sienne.

— Viens, dit Isabelle. Je vais tout te montrer.

— Tardez pas trop, avertit sa mère. C'est bientôt servi.

Ils firent une courte visite du moulin, du bord de l'eau et de la maison, accompagnés de la chatte rousse et des commentaires incessants d'Isabelle. Elle lui raconta tout: les chatons de Poil de carotte, le royaume des fées sous les feuilles de rhubarbe, les vilaines filles du village qui ne voulaient pas jouer avec elle.

— Tout ça parce que maman et papa viennent de Villediou et non d'Amerbourg. Elles disent que les gens de Villediou ne sont pas corrects.

Jack fut émerveillé par le mécanisme du moulin. De la roue à aubes à l'arbre moteur, de l'arbre moteur au grand rouet, du grand rouet au petit pignon, du petit pignon à l'axe et de l'axe à la meule.

Du bois et de la pierre. Chaque partie en mouvement. Chaque partie pour un ensemble.

En amont de l'étang se trouvait un petit quai qui murmurait : « Viens donc pêcher. »

Dans la maison, on apercevait des bouquets de fleurs. Jack n'avait jamais vu de fleurs dans une maison. À quoi servaient-elles ? Au plaisir des yeux uniquement. La panique qu'il ressentait commençait à s'évanouir.

La visite fut suivie d'un repas qui n'avait rien d'un simple dîner ; on l'aurait plutôt qualifié de festin.

Des bols fumants, des plats et des pichets, toutes sortes de délices défilaient lentement sur la table. Du porc rôti, du chou rouge épicé, des pommes de terre en purée, de la gelée de canneberges, des sauces, du pain et du beurre. Petit à petit, la nourriture remplit tous les espaces où s'était réfugiée la solitude.

Et puis, la visite arriva peu à peu. Lorsque l'on frappa à la porte, la première fois, Gédéon cacha Jack. Mais ce n'était que le marchand ambulant d'épices et Lou rapportant le sac de Jack. Ils furent invités à prendre une bouchée et à boire un coup.

Ensuite arrivèrent des gens de la ville, des marchands ambulants, des commerçants et des pêcheurs.

Au cours de la soirée, la maison se remplit. Les voyageurs s'assoyaient d'abord d'un côté de la pièce tandis que les gens de la ville, timides et réservés, prenaient place de l'autre côté. Alors, le marchand ambulant de cornichons et d'oignons sortit son violon pour faire danser l'assemblée, et les reels, polkas et autres sets carrés finirent par rapprocher tout ce beau monde. Isabelle ne quittait pas Jack d'une semelle. On s'arrêta ensuite, le temps d'un verre de cidre, et puis on raconta des histoires, on chanta et on échangea toutes sortes d'idées. La plus populaire, lancée par le boulanger, était que la ville devait se débarrasser du maire.

— Qui a besoin d'un maire ? Nous pouvons parfaitement nous arranger sans.

— Persuadons-le de déménager à Bienville.

— Ou à Grosnairs. On l'aimerait beaucoup à Grosnairs.

— Ou à Louvi-les-fouillis.

Tout le monde éclata de rire.

— Ce serait bien fait pour eux, cette bande de croulants.

Jack se tourna vers Lou :

— De quoi parlent-ils ?

— Oh, ce sont des villes le long de la côte. Alignées comme des algues rejetées par la mer.

— De quoi ont-elles l'air ?

— Elles ressemblent à Amerbourg, remplies de citadins, mais elles sont aussi toutes différentes. Chacune à ses particularités. À Bienville, les femmes vont à la pêche. À Louvi, il y a une maison construite avec des bouteilles qui fait de la musique, la nuit, quand il vente. C'est comme... Ah, tu peux pas savoir tant que tu n'y es pas allé.

Lou but la dernière goutte de son cidre.

— Géniale cette maison, pas vrai ? dit-elle.

— C'est vrai, répondit Jack.

Lou lui lança un regard sévère.

— J'ai quelque chose pour toi, Jack.

Elle se pencha pour enlever une de ses chaussures et en retirer trois petites feuilles en forme d'épée qu'elle tendit à Jack.

— Qu'est ce que c'est?

— De l'armoise. L'herbe du voyageur. Si tu en mets dans tes souliers, tu ne seras plus jamais fatigué de marcher.

— Mais alors, et toi?

Lou sourit.

— T'inquiète pas pour moi. Je sais où ça pousse.

Lorsque la fête se termina enfin et que les derniers invités furent partis, madame Boulanger donna une chemise de nuit à Jack, puis elle le mit au lit près du feu et déposa un verre de lait à son chevet.

— Un dernier petit verre avant de dormir, dit-elle.

Gédéon vint pour lui souhaiter bonne nuit.

— J'ai toujours besoin d'un gars intelligent comme toi comme apprenti. Penses-y. Dors bien.

Jack était couché bien au chaud dans des draps bien propres.

De la nourriture avant le coucher, des vêtements particuliers pour dormir, quelqu'un qui vous souhaite bonne nuit. Ce doit être ce qui se fait dans une famille.

« Une chemise de nuit et un verre de lait avant le dodo, se dit-il tout juste avant de s'endormir. C'est ça, la vie de famille. »

Chapitre 15

Jack se réveilla aux premières lueurs d'une aube grise. Il était en train de fondre. Une chemise de nuit, un lit avec trois couvertures, un chat ronronnant sur sa poitrine, et, tout près, un feu de cheminée, dont les braises rougeoyaient encore. Il rejeta les couvertures et respira profondément.

Des oiseaux chantaient à la fenêtre. De cette espèce d'oiseaux qui s'harmonisent avec des rosiers le long d'une porte et un verre de lait au coucher. Leur petit chœur fut soudain interrompu par un cri strident.

Jack se glissa hors du lit et se mit à la fenêtre juste à temps pour observer l'envolée d'une mouette. Insolente et libre, et imbue de ses opinions.

Jack ouvrit la fenêtre. Une brise rafraîchit ses boucles trempées de sueur. La roue du moulin était au repos. Tourner et moudre. Repos. Tourner et moudre. Repos.

Il imagina l'eau jaillir du bassin du moulin, flâner près du quai de pêche, puis glisser en direction du barrage, se dépêcher vers le canal, décamper du côté des vannes, se déverser sur la roue à aubes, chuter rapidement et retomber dans la rivière, et, enfin, sa besogne accomplie, serpenter doucement vers la mer.

«Mon boulot est terminé, se dit Jack. Ils ont maintenant leurs propres idées. Tous ces projets, administrer une correction au maire et le plonger dans l'eau, et s'en défaire. Des idées de première classe. On ne pourra plus les arrêter.»

Je n'aime pas ce que tu penses.

«Voici ce que je pense, se dit Jack. Je pense à Bienville, à Grosnairs, à Louvi-les-fouillis. Des femmes qui vont à la pêche et des maisons qui chantent. Tant de lieux à voir. Tant de chemins. Je ne peux rien connaître avant d'y aller, n'est-ce pas?»

Jack ôta sa chemise de nuit, la plia avec soin et la posa sur le lit.

Il ouvrit son vieux dictionnaire. *Assistance*: aide fournie à quelqu'un qui en a besoin. *Mousse de mer*: algues et bois de dérive rejetés par la mer sur le rivage à marée basse. Un mot pour poser ses valises, un mot pour voyager. Deux morceaux d'Amerbourg qu'il emporterait.

Il laissa derrière lui son parapluie, presque toutes ses provisions et la plupart de ses remèdes contre le mal, parce qu'il n'avait mal nulle part. Il abandonna également son nouveau dictionnaire. Son vieux compagnon lui conviendrait très bien. Il pouvait se passer de *tracas*, de *trauma*, de *tumeur* ou de *torpillage*.

Sur un bout de papier, il écrivit de sa plus belle écriture: *Merci. Je reviendrai vous rendre visite. Un voyageur.* Il glissa le papier sous le verre de lait vide et sortit doucement de la maison.

Jack souriait lorsqu'il prit la route en direction du soleil qui se levait. Il traversa la forêt, il traversa la ville, il traversa le marché en direction de la mer. Une fois sur la plage, il arrangea son bagage sur ses épaules de manière à être plus à l'aise, puis regarda de chaque côté. Une brume lumineuse s'élevait de l'eau.

« Sud, décida-t-il. Les oiseaux migrent vers le sud pour l'hiver. »

Au bout de la plage, passé le dernier bateau de pêche, une autre mouette criarde vola tout juste au-dessus du garçon qui se reposait un peu.

Plop. Jack poussa un grognement et retira sa casquette maculée d'un cadeau de départ blanchâtre. Secouant la tête, il rinça la casquette dans la mer.

« Des chutes et des rebondissements, se dit-il. C'est ça, la vie d'un voyageur. »

MARQUIS

Québec, Canada

100%

PERMANENT